U0483336

静电超人

② 真假静电超人

[加拿大]阿兰·M.贝杰隆 / 著
[加拿大]桑帕尔 / 绘
余 轶 / 译

天津出版传媒集团
新蕾出版社

图书在版编目（CIP）数据

真假静电超人 /（加）阿兰·M.贝杰隆
(Alain M. Bergeron) 著；（加）桑帕尔（Sampar）绘；
余轶译. —— 天津：新蕾出版社，2023.11
　（静电超人；2）
　ISBN 978-7-5307-7613-1

Ⅰ. ①真… Ⅱ. ①阿… ②桑… ③余… Ⅲ. ①儿童故事－图画故事－加拿大－现代 Ⅳ. ①I711.85

中国国家版本馆CIP数据核字(2023)第147881号

Original French title: Capitaine Static – L'Imposteur
Author: Alain M. Bergeron
Illustrated by: Sampar
Copyright ⓒ 2008, Editions Québec Amérique inc.
Simplified Chinese translation copyright ⓒ 2023 by New Buds Publishing House (Tianjin) Limited Company arranged through Wubenshu Children's Books Agency.
ALL RIGHTS RESERVED
津图登字：02-2022-079

书　　名：真假静电超人　ZHEN JIA JINGDIANCHAOREN
出版发行：天津出版传媒集团
　　　　　新蕾出版社
　　　　　http://www.newbuds.com.cn
地　　址：天津市和平区西康路35号(300051)
出 版 人：马玉秀
电　　话：总编办(022)23332422
　　　　　发行部(022)23332351　23332679
传　　真：(022)23332422
经　　销：全国新华书店
印　　刷：天津海顺印业包装有限公司
开　　本：889mm×1194mm　1/32
字　　数：35千字
印　　张：2
版　　次：2023年11月第1版　2023年11月第1次印刷
定　　价：22.00元

著作权所有，请勿擅用本书制作各类出版物，违者必究。
如发现印、装质量问题，影响阅读，请与本社发行部联系调换。
地址：天津市和平区西康路35号
电话：(022)23332677　邮编：300051

献给令人崇敬和怀念的勒内·戈西尼。

静电⚡超人
绝密档案

名字：查理·西马

真实身份：一名普通的小学四年级男孩

装备

- 尼龙材质的钢蓝色超人服
- 红色披风 
- 红色眼罩 
- 黄绿相间的羊毛拖鞋 

超能力：静电攻击

粉丝团：电粉团

超能力秘密来源：拖着脚走路

温馨提示
! 千万不要让静电超人碰衣物柔顺剂！！

警告

谁摩擦,谁起电!
　　——静电超人的格言

第1章

我挥挥手,向人群致意。大家热情高涨,在他们的鼓励下,我也不由得想为自己鼓掌!

今天,我并没有把弗雷德从大乔一伙的魔爪下解救出来;也没有救下被困枝头的牛顿三世——罗埃尔夫人的猫;更没有拯救地球,使其免遭生态危机。

他们为我鼓掌,并非因为我的某个壮举,而仅仅是因为——我是静电超人。

啊,对了,我刚刚确实救了一位老奶奶的性命。当时,她正扶着助步器过马路。可她走得实在太慢了,刚走到马路正中间,过街红灯便亮了起来,而车行信号灯也由红转绿,一辆小汽车直朝她冲去!

老奶奶听不见我的呼喊声,汽车司机已经来不及避让。

情急之下，我就地发功。

噼啪！

不过,今晚我来到众人面前,并不是为了讲述我的英雄之举,而是以特邀嘉宾的身份,出席校园"信息最灵通女孩"大赛。

现在,舞台上只剩下最后两名参赛者:校花佩内洛普和骄纵自大的安吉利库。

以前,当我只是普通男孩查理·西马时,安吉利库从没正眼瞧过我。可自从我出名以后,她对我的态度就180°大转弯,总是有意无意地出现在我身边,想借此提高她的人气。

有时,她甚至会故意站在我和佩内洛普两人中间。这让大乔非常窝火。大乔是学校的害群之马,唯独对安吉利库很好。

这让他又多了一个讨厌我的理由。

实际上,我是唯一能与大乔一伙抗衡的男孩。

我打心眼儿里瞧不起安吉利库,尽管对于超级英雄来说,这种想法并不光荣。

超人和蜘蛛侠就不会瞧不起人。我很想以他们为榜样,但在这一点上,我实在是做不到。

舞台上的最后一轮对决,是"手机速拨"比赛。两位参赛者剑拔弩张,快速掏出自己的"武器"——手机。

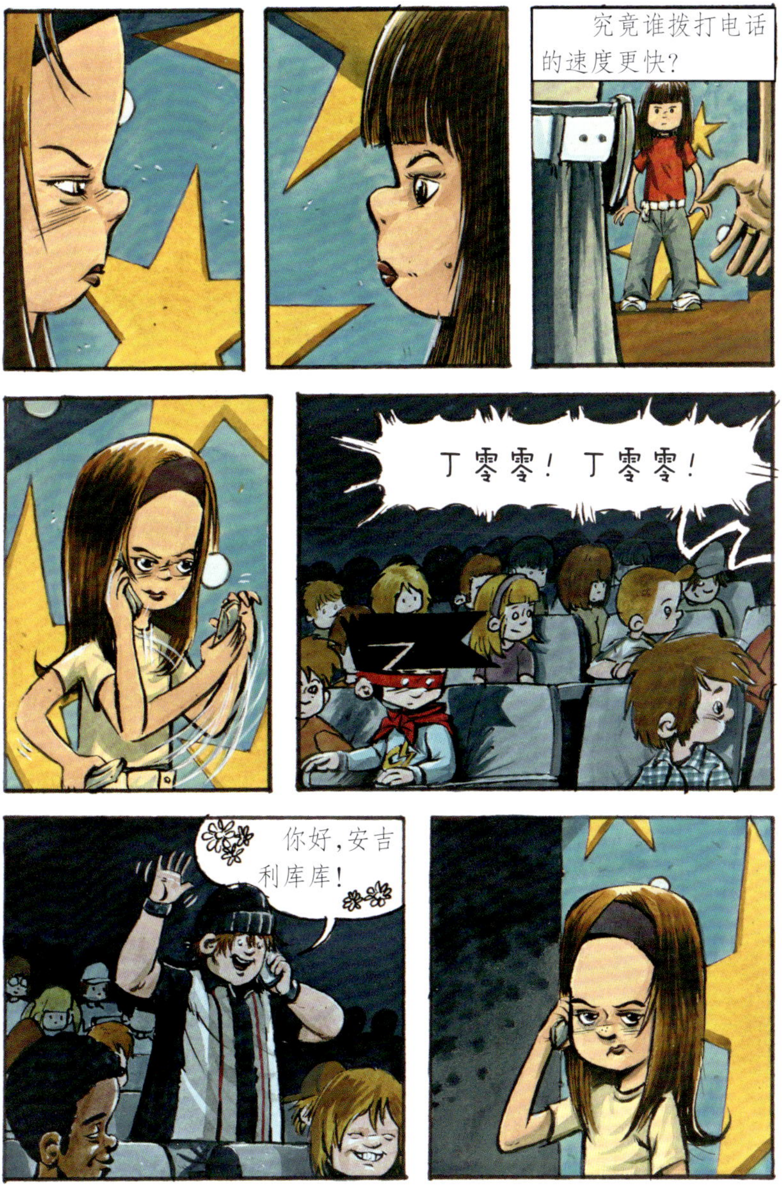
究竟谁拨打电话的速度更快？
丁零零！丁零零！
你好，安吉利库库！

又一阵电话铃声响起。对于佩内洛普而言,这阵铃声来得晚了点儿。她的电话是打给我的,提醒我记得今晚的约定。

毫无疑问,安吉利库最终获得"信息最灵通女孩"比赛冠军。观众们礼节性鼓掌,只有大乔兴奋得高声歌唱。

啦啦啦!嘿嘿嘿!失败者,再见吧!

真是太过分了!

地板上铺着地毯。

我拖着脚走路,增加静电储备。

这是我超能力的秘密所在。

我的身体可以储存电能。

可是,我还没走到大乔跟前警告他不要捉弄人,主持人就邀请我上台,见证冠军的诞生。

下次再找你算账!

舞台上，安吉利库来到我身边，准备拍宣传照。我感到身体微微发热，一种熟悉的酥麻感袭来……

摄影师拍完照便走了,安吉利库的形象就这样被定格了。一想到即将出现在报纸及学校官网上的"信息最灵通女孩"照片,我就暗自称快。

就算安吉利库赢得了比赛,她也是最大的输家。

但是,与此同时,我也多了一个敌人。

第 2 章

第二天，安吉利库果然成为全校嘲笑的对象。平日里受过她冷眼的同学，把她的新照片贴满走廊，一直贴到她的储物柜前。

就连厕所的镜子也成了"海报栏"，还有人把她的照片印在卫生纸上——这对梦想登上头版头条的安吉利库而言，无疑是奇耻大辱！

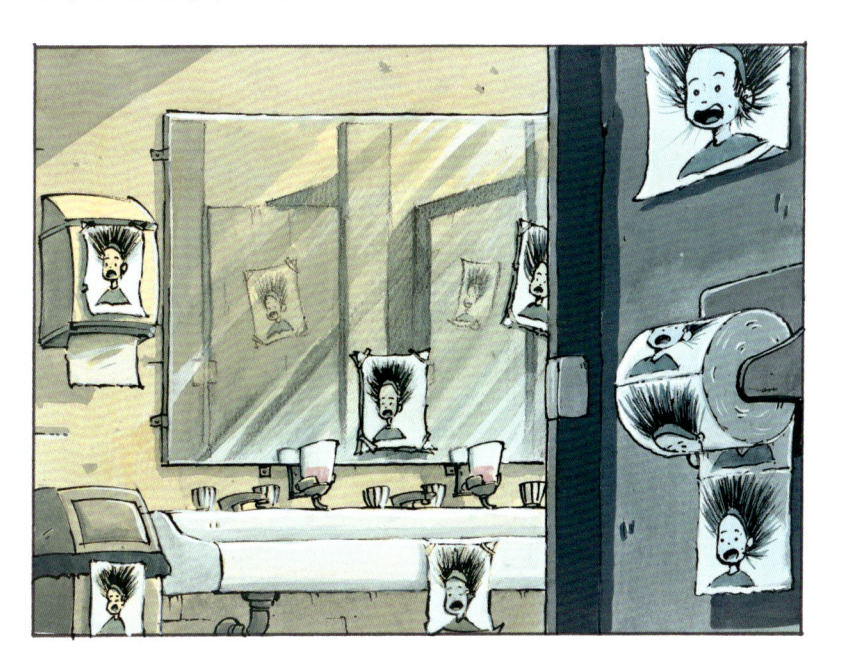

安吉利库恐怕会恨我一辈子。她是一个非常容易生气的人，而我恰恰触及了她的要害，如同电线发生短路，天使变成魔鬼……

我是不是该小心一点儿？

她最近经常和大乔一起待在咖啡厅，是不是在密谋对我不利的事情？

我不知道，也懒得去管。

这天夜里，在家中……

超人平时是把超人服拿去洗衣店，还是自己手洗？蜘蛛侠的外婆会为英雄外孙洗衣服吗？还有人猿泰山……啊，对了，他倒是没有这个烦恼。

我作为静电超人，全校的崇拜对象……

……好吧，几乎是全校的崇拜对象，却依然会弄脏衣服。

而我的妈妈也有一项超能力，那就是发现衣服上的哪怕最细小的污渍，包括你们亲爱的静电超人身上的这件！

> 快把你的衣服脱下来，我拿去清洗。

> 可是，妈妈……

> 没什么"可是"！
>
> 不过是一小块芥末酱而已……

> 在我妈妈看来，只要是污渍，就没有大小之分。在事关整洁的问题上，她眼里容不得一粒沙子。

> 如果你明天要去拯救总理呢？被媒体拍到怎么办？想象一下他们会用什么样的标题——

重大新闻

邋遢鬼拯救总理！

妈妈说得对，那将成为我传奇故事中不光彩的一页。趁妈妈还没闻到芥末味，我赶紧脱下超人服，有点儿不情愿地递给她。

没有超人服和拖鞋，我顿时感到自己失去了防护装备，脆弱得像是没有壳的蜗牛和乌龟、没有牙的海狸、没有脖子的长颈鹿！

我又成了那个再普通不过的男孩查理·西马。没有谁愿意书写他的经历，留给后人看。

夜深了，我不得不换上衣柜里唯一一套干净的睡衣。睡衣上印着小熊图案，对超人而言，这简直就是一种深深的伤害！原来的超人服多威风呀！

我不愿意离超人服太远，于是在洗衣房里读起漫画书来。书名叫《超人回归》，讲的是钢铁侠如何打败一个盗用他身份的神秘人物。

冒充者被揭穿，锒铛入狱。活该！

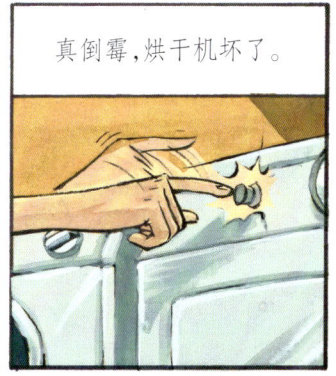

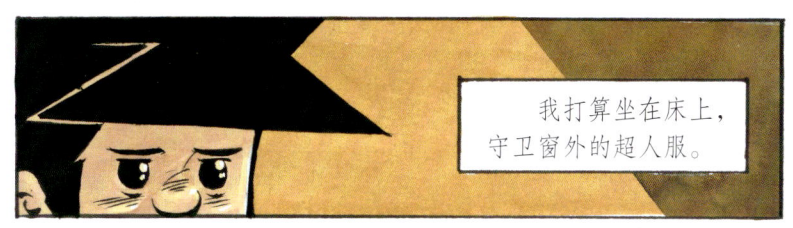

叮!

和往常一样,妈妈总是在洗衣机提示音响起的那一秒,准时出现在洗衣房。

真倒霉,烘干机坏了。

看来只能把超人服晾在外面了。

我打算坐在床上,守卫窗外的超人服。

只可惜,盖着被子的我,不得不与一个劲敌做斗争——睡意阵阵来袭。

我的眼皮发沉……

要不，我先眯一会儿再继续？

这也未尝不可吧？

就几分钟而已……

呼噜……

啊，渐入梦乡的感觉真好……

就这样吧……

晚安。

听，草坪上传来轻微的脚步声……也许是牛顿三世又从罗埃尔夫人家跑出来了。

呼噜呼噜——

还有我的呼噜声。

我在打呼噜！

糟糕！

挂在晾衣绳上的超人服不见了！

第 3 章

妈妈正在厨房准备早餐,看到我哭丧着脸,立刻就猜到发生了什么事。她急匆匆地跑去院子里查看。

我的新晾衣夹不见了!我就知道不该拿出来用……

我的超人服呢?

啊,对!我就是用新晾衣夹夹住超人服的。

世界上可以没有新晾衣夹,却不能没有静电超人。
让我们先处理最重要的问题。
我得先把烘干机修好,然后再给你缝制一套新的超人服。至于你嘛,先去上学!
21

在上学的路上，我一路琢磨，终于想明白了：偷走超人服的人，一定是我的崇拜者。他之所以偷走超人服，并不是要故意为难我，而是出于对我的崇拜，想要收集和我有关的一切物品。

静电超人的头发

静电超人的牙印

静电超人桌子上粘的口香糖

有人在默默崇拜着我。
哇,这真是一个迷人的猜想!

说到崇拜者……

我正准备跟她谈一谈关于我的秘密崇拜者的事情：首先表示那个人的行为让我备受感动，然后告诉她我真的很需要那套超人服……我要注意保持语气轻松幽默。

我一踏入教室，立刻就感受到冰冷的气氛。

你怎么可以欺负弱小呢？

?!?

我还来不及反驳，老师就已经走进教室，让我们做数学题。老师可真会挑时候。

课间休息时的情况更糟糕。大家都对我不理不睬。我还听说,有个女孩被静电超人欺负了……

我一边吃着软心巧克力,一边朝围住女孩的人群走去。

我还来不及辩驳,就已经被认定有罪。

这时我才意识到,根本没有什么爱收藏我个人物品的崇拜者。在这个城市里,还有另外一个"静电超人",是他偷走了我的服装,盗用了我的身份。我必须把他找出来才行!

第 4 章

我妈妈干起活儿来又快又好,尤其是有我在旁边监工的时候。我迫不及待地要去为自己洗刷罪名,揪出那个冒充我身份、为非作歹的人!

你——把——弗雷德——藏在哪儿了？
我……我……
你倒是快说呀！
我说什么？
我被你搞糊涂了！
今天下午放学的时候，有人亲眼看见静电超人强行带走了我弟弟。你最好赶紧告诉我他在哪儿，否则……
否则……
好了，查理！你的新超人服做好了。

你瞧，我妈妈特意为我赶制了一套新的超人服。原来那套被人偷走了。有人在冒充我！
等一等，我马上就来。
我们一起去找你弟弟吧！
对不起，查理，刚才我错怪你了。我早应该想到才是……

现在可不是内疚或争论的时候，必须赶紧采取行动。我们要马上赶到弗雷德消失的地方。

救命啊！

是弗雷德！

没错。声音是从那边传来的！

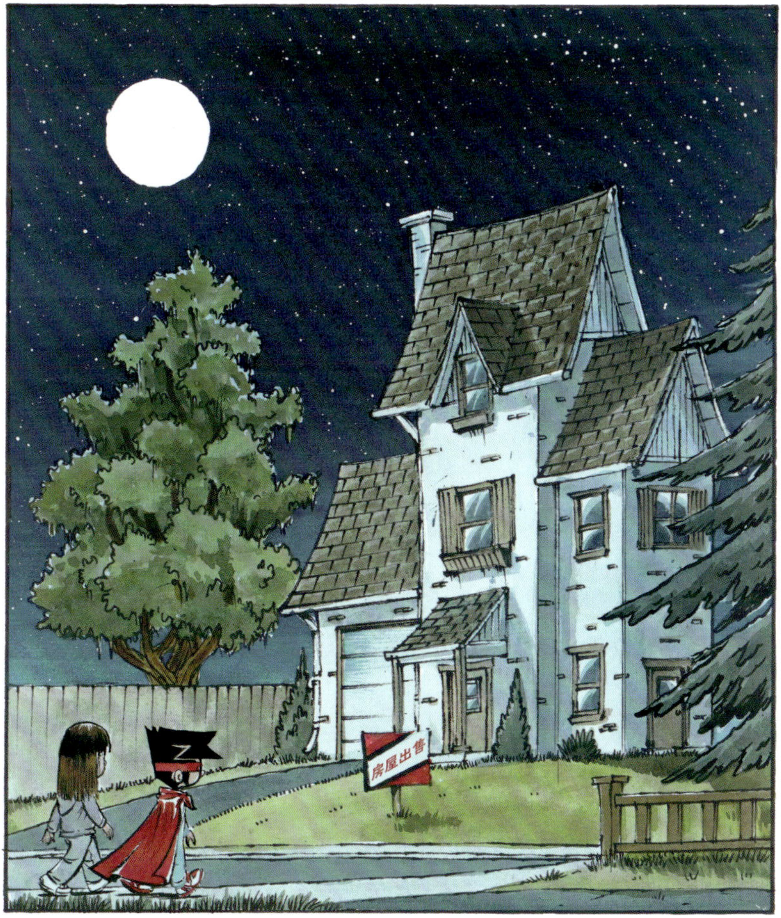
房屋出售

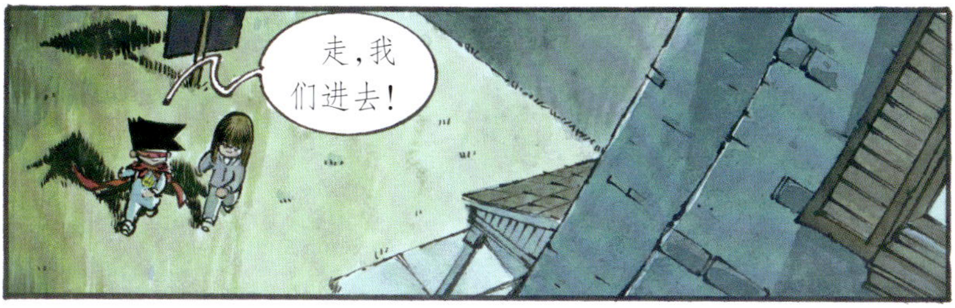
走，我们进去！

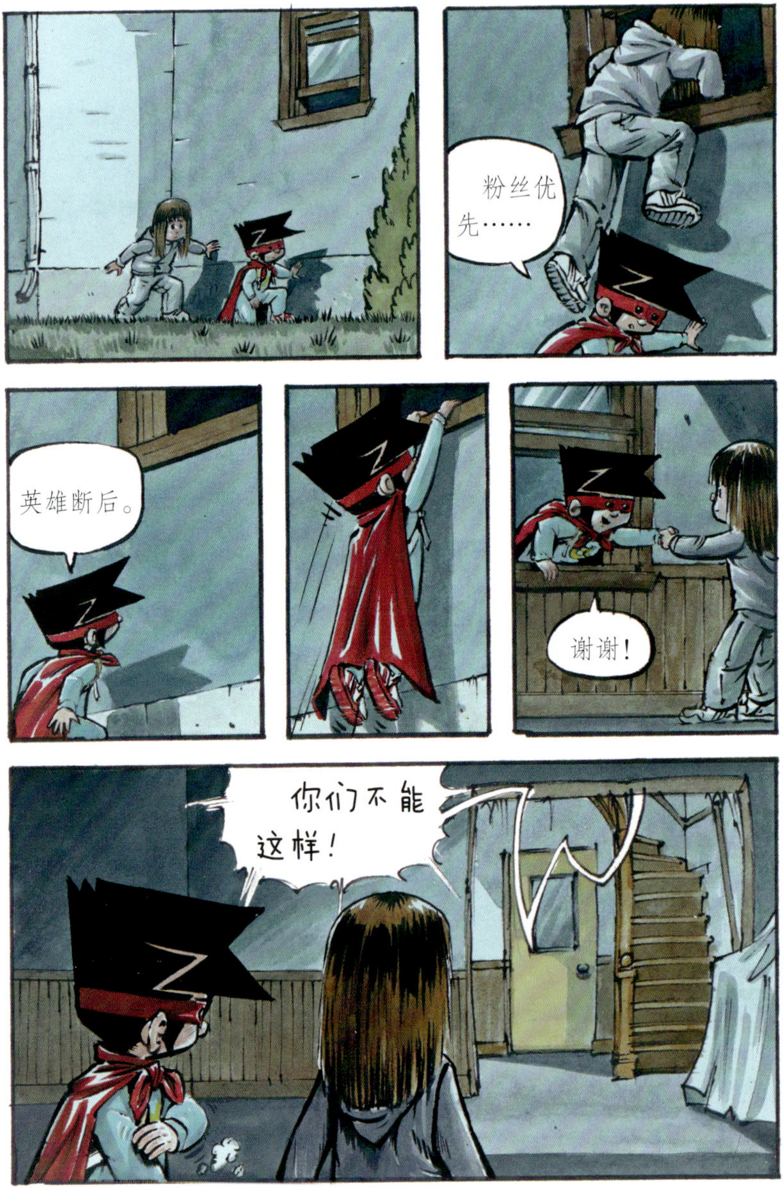
粉丝优先……
英雄断后。
谢谢！
你们不能这样！

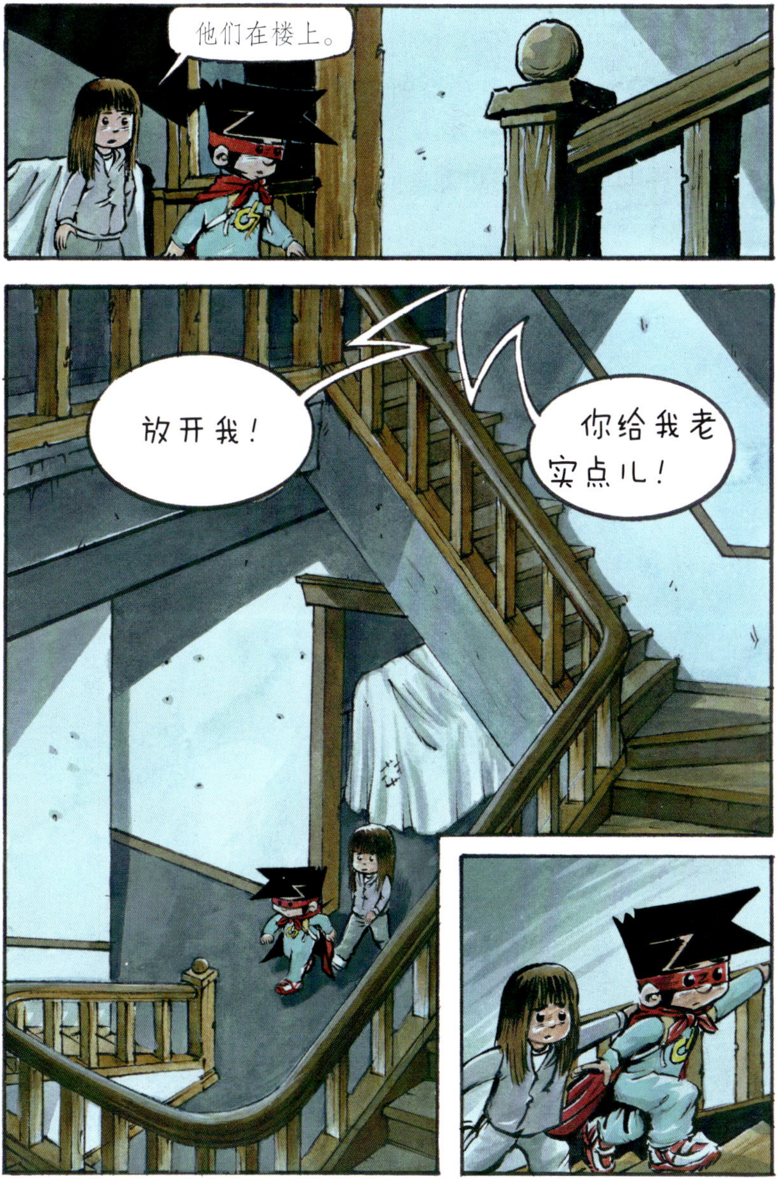
他们在楼上。
放开我！
你给我老实点儿！

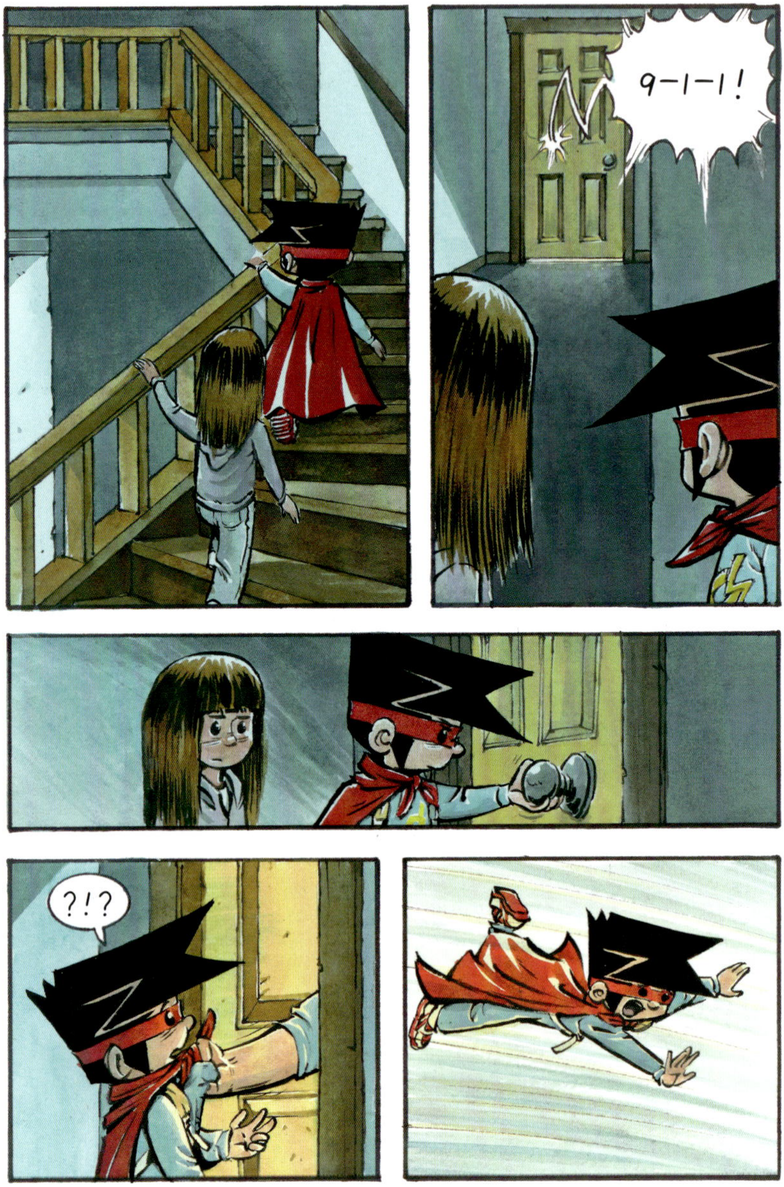
9-1-1!
?!?

我艰难地抬起头……原来是安吉利库！她旁边居然站着"静电超人"！

第5章

是大乔在冒充"静电超人"！大家怎么会把我和他混为一谈呢？我故作平静地说：

让你瞧瞧我的放电器的厉害！
噼啪！
哎哟！
放开他！
不！
过来，可怜虫！
亲爱的静电超人，如果你不告诉我们你的超能力是怎么来的……

不管你们怎么折磨他,他都不会告诉你们!对吧,静电超人?

这……这可不一定……

那可怜的弗雷德将度过一段令他终生难忘的时光。

不,不!他全都会告诉你们的!对吧,静电超人?

我别无选择。

我书包里有一双拖鞋。

你们听见了吗?穿拖鞋的超人!

大乔二话不说，开始翻我的书包，然后像展示战利品一样，展示我的拖鞋。

安吉利库从口袋里掏出手机。

我会用手机录像，然后传到网上，让大家见证静电超人的失败。

到那时，你就会明白，被人嘲笑是什么滋味！

噼啪
噼啪
噼啪
噼啪

"我知道接下来会发生什么。"

安吉利库开启手机录像功能。大乔的身体发出一片光亮。我能感觉到他的满满电荷,满到快要短路了。

"我才是最厉害的!"

"我暗自思索……"

"交锋时产生的冲击力将是巨大的。"

"尝尝你自己武器的滋味吧!"

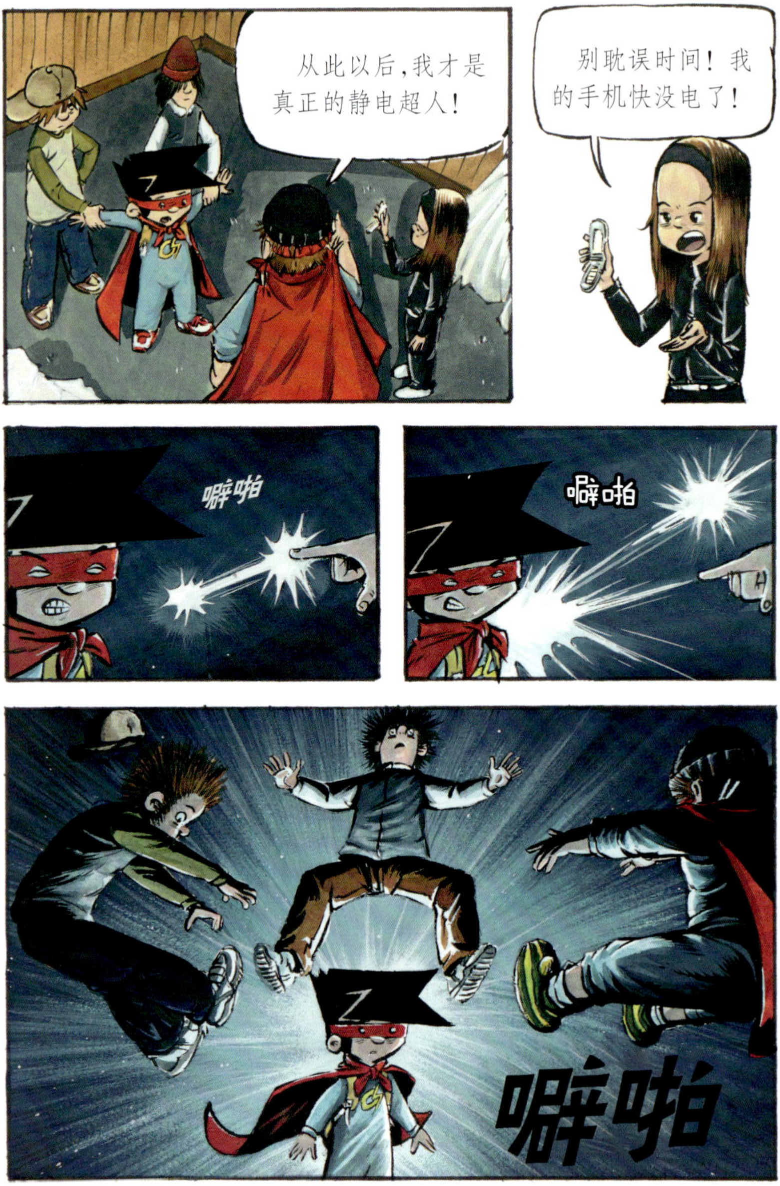
从此以后,我才是真正的静电超人!
别耽误时间！我的手机快没电了！
噼啪
噼啪
噼啪

说出来你们可能不会相信——控制静电的能力,依然掌握在我的手中。

一,二,三!
大乔,你输了!

看样子,拖鞋和超人服只不过是配饰而已。

你说得没错,安吉利库。在网上观看这段视频,还真是挺有趣的!

这套超人服你留着吧，反正已经被你这个冒牌英雄给撑大了！但是拖鞋我得拿走。
还有这个！
他真傻，居然连我妈妈新买的晾衣夹都没取下来！不过，最让我感到意外的是弗雷德：他已经穿上我的拖鞋，在地毯上拖着脚走路了。
难道你忘了吗？谁摩擦……
谁起电！
噼啪！

我们走，静电超人！

成就英雄的不是超人服。

而是善良和勇气。

她说得一定有道理。

因为她才是全校"信息最灵通女孩"！